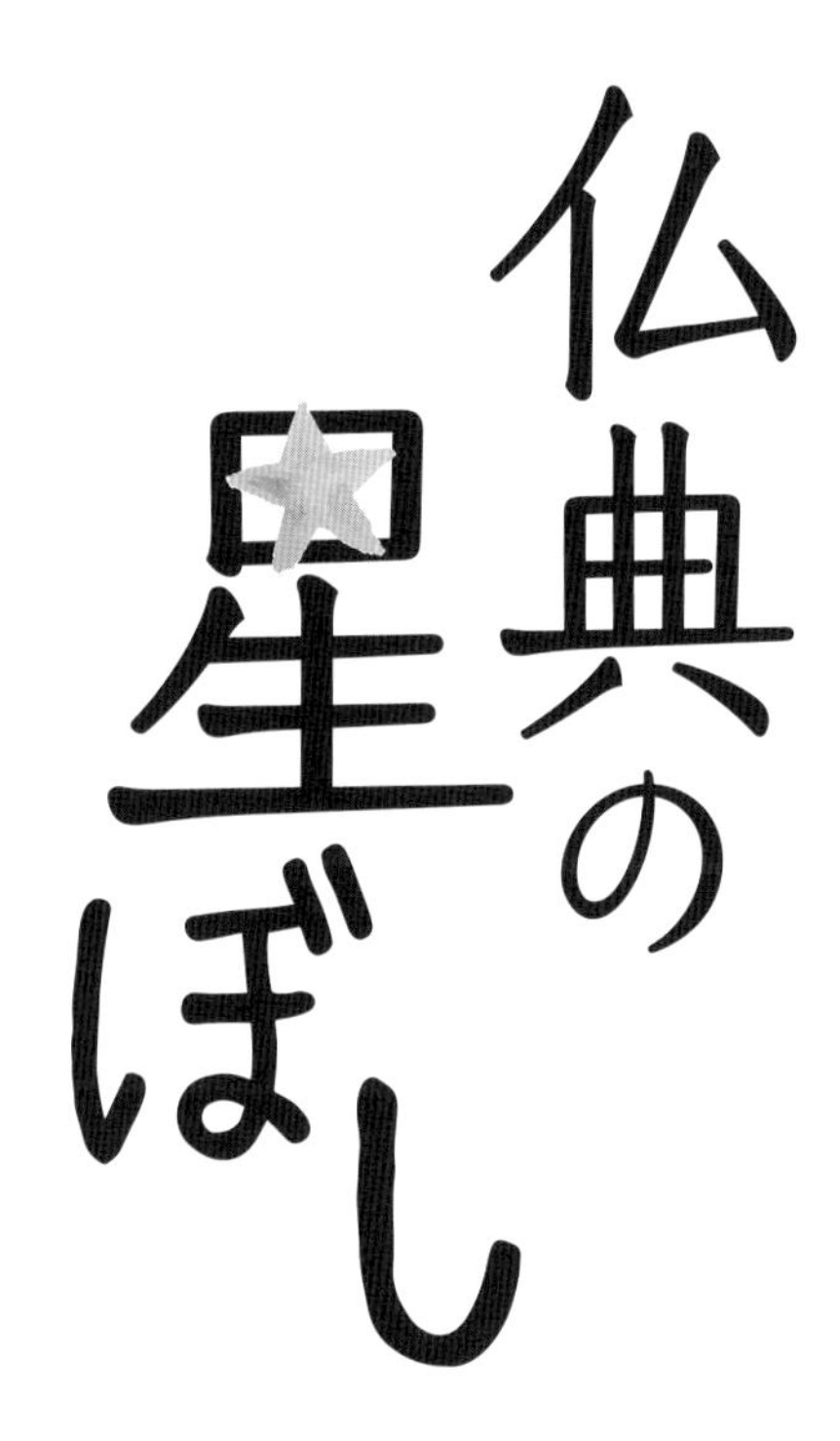

文・渡邉愛子
絵・臂 美恵

東本願寺出版

本書について

お釈迦さまが入滅された後まとめられた仏典（仏教典籍）は、膨大であり、お釈迦さまの教えや仏教徒の生活規範など、その内容は多岐にわたります。その中には、さまざまな人や動物の姿でお釈迦さまの前生の求道を描くお話（ジャータカ）や、どんな人にも教えが伝わるようやさしく説かれた喩え話など、子どもも大人も親しみながら、大切なことにふと気づかされる物語がたくさんあります。

本書は、そんな夜空に瞬く星ぼしのように、私たちをやさしく照らす仏典を集めた絵本です。この本をとおして、子どもたちと一緒に、広大な仏教の世界にふれていただけることを願っています。

東本願寺出版

★お釈迦さまの前生を描く物語については、巻末に、どの登場人物（動物もしくは植物）がお釈迦さまであるのかを記しています。物語を味わいながら、どこにお釈迦さまがおられるのか、ぜひ探してみてください。

もくじ

I 赤魚になった王様

出典
『撰集百縁経』巻第四 第三二話
蓮華王、身を捨て赤魚と作るの縁

遠い昔のインドです。パドマカという、情け深い王様が治める国がありました。その国の人々は平和に暮らしていました。

ところがある時、急にたくさんの病人が出て、どの薬も効かず人々は苦しみのあまり王様に訴えました。命がけで薬を求めてやってきた病人たちに会った王様は、心を痛め、国中の医者にこの病気を治すよう命令しました。

すると、医者たちが答えました。「王様、私たちも同じ病に苦しんでおり、患者を治すことができません」

それでも医者たちは、この病気には赤魚が効くことを伝えると、王様は赤魚を城に届けるよう命令を出しました。すると、今度は人々が言いました。

「王様、今までたくさんいた赤魚が、なぜか一匹も釣れないのです」

その間にも、次々に人々が病に倒れ、命を失っていきます。王様はその夜、一睡もしないで考えました。

翌朝、王様は王子と大臣たちを集めて言いました。

「突然だが国を王子に譲る。これまで同様、国民を大切にして国を治めるように」

驚かない者はなく、みな口々に、思いとどまるよう王様に頼みました。

「私たちの落ち度のせいでしたら、どうかおっしゃってください。どんなことでも必死に努力します。どうか王位を降りないでください。王様あっての私たちです」

王様は微かに笑みを浮かべて言いました。

「嬉しく思う。だが、ここに来られない病人たちがたくさん苦しんでいるではないか。この人々を助けなくて、どうして王位にとどまれよう」

王様の決心が固いことを知って、誰も皆なすすべもなく、悲しい一夜を過ごしました。

翌朝、お香と花を携えた王様は、城の最も高いところに上り四方に深々と礼拝して心に誓いを結びました。

「私はこの身を捨て、赤魚となって生まれ変わり、その身を食べたものは、必ずや病気がいえることを！」

そのまま身を投げて絶命し、ただちに大きな赤魚になりました。

「アッ、赤魚だ。王様の赤魚だ！」「どうして王様をいただけよう…」「いただかなくては王様のお命が無駄になる…」

人々は掌を合わせて涙を流しながし、赤魚の身をいただきました。病気はすぐに治り、赤魚の削られた身は、不思議と翌日には元どおりになりました。

こうして十二年もの間生き続け、すべての病人を助けて、赤魚は生涯を閉じました。

2 サルの知恵

出典
ジャータカ 第四六話
毀園本生物語

遠い昔のインドです。今日は年に一度の大祭り。街のにぎわいがお城の庭にも響いてきます。庭番の男は、お祭りに行きたくてしかたがありません。

けれど、王様の大切なお庭の水やりを休むことはできません。ソワソワしている庭番の前を、サルの群れが通りかかりました。庭番の顔がパッと明るくなりました。サルのリーダーが賢いということを思い出したからです。

「ひとつ頼みがある。私は街へ行かねばならない。その間にこの苗床の苗にたっぷり水をやってほしいのだ。王様の大切な苗床だ。失敗は許されない。気をつけてやっておくれ」

「はい。よくわかりました。お任せください」

サルのリーダーは自信たっぷりに答えました。

サルたちは水をくんできて、苗床に水をまこうとしました。

「ちょっと待て。水を無駄にしてはいけないぞ。いいか、まず最初に苗をそっと抜いて長さと太さを見よ。そして丁寧に埋め戻してから根の分量に応じた水をやるのだ。いいな」

「さすがはわれらがリーダーさまだ。あの庭番は水の大切さなんて言わなかったな」

サルたちは、リーダーの知恵と配慮にすっかり感心しました。

細い根を傷つけないようにまわりの土を慎重にのけて、根の長さと太さをじっくりと目に刻みつけました。そしてまた前よりいっそう丁寧に埋め戻し、多すぎず足りなくないように水をやりました。

どのサルも真剣そのものでした。リーダーは一本一本をじっくりと見てまわりました。

「我ながら実に良いところに気がついたものだ。その上わしらの仲間は皆なんと誠実に仕事をすることか。これで王様に少しでも恩返しができる。けっこうなことだ」

得意の絶頂にいたリーダーはふんぞり返って、もう少しで仰向けに転びそうでした。

そこへ王様のお客の賢者が、庭へ夕涼みにやってきました。

サルたちが苗を抜いては植え、抜いては植えをしているのを見ました。

「何をしているのかね」

と賢者は尋ねました。

「リーダーの言うとおり、苗に必要なだけの水をやっているのです」

—ああ、なんと。一番大切な苗の命を傷つけていることに気がつかない—

翌日、庭番はすっかりしおれた苗を見て目をおおいました。

③ 大きなシカ

出典
『撰集百縁経』巻第四 第三七話
仏、般涅槃に垂とし五百の力士を度するの縁

遠い昔のインドです。ブラフマダッタという、狩りの大好きな王様が治める国がありました。

いつものように王様は、狩りの上手な家来を大勢連れて行列を進めました。木洩れ陽がわずかにさす深い森に着いた一行は、シンと静まりかえった森の中を慎重に進んで行きました。

やがて王様は、微かな動きを目ざとく見つけました。シカです。それもかなりの群れのようです。一行はジワジワとシカの群れを追い詰めていきます。シカも気づいて薄闇の中を足早に逃げて行きます。

行く手が急に明るくなりました。森のはずれの河岸でした。

「しめた！」王様たちは思いました。

「しまった！」シカたちは驚きました。

王様の一行は、ゆっくりとシカの群れを囲みこんでいきます。ざっと五百頭ほどの大群です。行く手はとても渡ることができない河です。前日の雨で水かさが増して流れはいつもよりずっと激しく渦巻いています。

またとない幸運に王様の一行はゆっくりと矢をつがえ、大猟を目前に誰もがほくそ笑んでいます。

シカの大群は、河岸に追い詰められて絶体絶命です。シカたちの悲し気な鳴き声が、河の怒涛に混じって聞こえてきます。水際に追いつめられたシカたちが流れにのまれようとした時でした。

ザッブンと大きな水音がしました。「アッ」、誰もが驚いて音のほうを見ました。大きなシカが流れに躍り込んだのです。

すると、見る間に大きなシカの体がスルスルと伸び、河の向こう岸に前足の先が届きました。

「さあ早く渡れ！」

シカたちは次々と無我夢中で大きなシカの背中を渡ります。

王様の一行は、突然の不思議な出来事が理解できず、皆が夢の世界へ迷い込んだようでした。

シカたちはこの助けの橋が誰なのか考える暇もなく、ただ必死で続々と渡っていきます。

橋になった大きなシカは心の中でつぶやきました。

——残らず渡すまでは何があっても耐えきるぞ——

けれどももう背中は傷だらけで、背骨の一部が見えています。もみくしゃの背中は見るも無残なありさまです。向こう岸の石の間に差し込んだ前足は今にもちぎれそうでした。大きなシカは薄目をあけて、皆がもう渡り切ったか確かめました。

すると、恐ろしがる子ジカを連れた母ジカが、今にも捕えられようとしていました。

「さあ渡れ！」

雷鳴のようなシカの声がとどろいて二頭は渡りきりました。

ザッブン。大きな音とともに大きなシカは河に落ちてズンズン流されていきました。

王様の一行は、言葉もなくただ合掌していました。

4 キンスカの木

出典
ジャータカ 第二四八話
緊祝迦喩本生物語

遠い昔のインドです。ブラフマダッタ王には四人の若い王子がいました。

ある時、王様は大切なお客様を迎えて宴を催しました。お客様が言いました。

「ただいまは、森のキンスカの花が見ごろだそうですね」

「はい。あれは森の奥深くにありまして、何も世話をしていないのに毎年見事な花を咲かせてくれます」

王様は嬉しそうでした。

この会話を聞いていた第一王子は、森のキンスカを見たいと侍従に言いました。侍従は忙しかったので、しばらくたってから第一王子を森へ案内しました。

「王子様。これがキンスカでございます」

キンスカは、花が終わって豆の房のような実が下がっていました。第一王子はがっかりしました。

ある時、ふと思いついた第二王子が、侍従にキンスカを見せて欲しいと言いました。キンスカは葉が芽吹き始めていました。

「王子様。これがキンスカでございます」

〝別段どうというほどの木ではないな〟と第二王子は思いました。

またある時、第三王子は急に気が向いて、侍従にキンスカを見せて欲しいと言いました。

「王子様。これがキンスカでございます」

青々とした若葉のキンスカを見て、第三王子はすがすがしい気分になりました。

それを聞いた末の王子は、侍従にキンスカを見せて欲しいと言いました。この時は、王様の大切な用事のために末の王子はしばらく待たされました。

ようやく森に着いた末の王子は、キンスカの花盛りにあいました。

「王子様。これがキンスカでございます」

末の王子は、うれしくてお城に帰るとすぐに兄王子たちに報告しました。

三人の兄王子たちは、それぞれに自分が見たキンスカの様子を話しました。

第一王子は末の王子に言いました。

「お前は夢でも見たんだろう。キンスカは豆の房がぶら下がっただけの木じゃないか」

第二王子は言いました。

「裸の枝に葉っぱの芽がついているだけの木だよ。きっと夢でも見たんだよ」

第三王子が言いました。

「キンスカはね、若葉が青々としたさわやかな木だよ。花の咲く木ではないよ」

王子たちがにぎやかに言い合っているところへ、王様が通りかかりました。

「なーるほど。お前たちは確かにキンスカを見たのだよ。ただ見た時期がみな違っていたのだ。キンスカと同じように、すべてのものはいつも休むことなく変化しているのだよ。だから自分が見たことだけを主張しないでじっくり考えて判断するのだよ。お前たちは一年がかりでよい学びができたな。良かった、良かった」

王様はにこやかに王子たちを見渡しました。

5 闇(やみ)の中

出典
『六度集経』巻第八　第八九話
鏡面王経

遠い昔のインドです。山深い村がありました。

夜道を急いでいたひとりの若者が、道に迷ってしまいました。すると突然足元がゆるんで、若者はズルズルッと真っ暗な闇の中に滑り落ちてしまいました。

若者は、ここはどこだろうとあたりを手探りしました。右手は岩壁に触れ、左手に触れた壁らしきものが生暖かく、びっくりして右手の岩壁をつたい必死で駆け出しました。そこは大きな洞穴だったのです。若者は、夜明けを待って無事に家に帰り着きました。しかし、若者はこのことを人に話しませんでした。信じてもらえないと思ったのです。

またある時、山に深入りしすぎた木こりが道に迷って同じように洞穴に落ち、右手は岩壁に触れましたが、伸ばした左手が触れたのは太い筒のようで、しかもその先がぬれていました。木こりは一目散に洞穴から逃げ出しました。木こりもこのことを人に話しませんでした。木こりが山で道に迷うなんて恥だと思ったのです。

またある時、老人が同じようにその穴に落ちました。老人の左手に触れたのは細長いロープのようなもので、しかも動いていたので恐ろしくなり、急いで走り出しました。老人もこのことを人に話しませんでした。年寄りの世迷言だと思われたくなかったのです。

またある時、狩人もその穴に落ちました。狩人の左手は、はためいている大きな分厚い旗のようなものに触れました。狩人は、何だか見当もつかず恐ろしくて逃げ出しました。狩人もこのことを人に話しませんでした。狩人の誇りが傷つくと思ったのです。

またある時、少年が道に迷ってこの穴に落ちました。少年の左手は動く固い棒に触れました。少年は恐ろしくて必死で洞穴から逃げ出しました。村に近づくと少年は、「山の洞穴に変なものがいるぞぉ」と大声で叫びながら家に向かいました。

穴に落ちた四人が叫び声を聞き、少年の後について行きました。

少年が家族に話をすると、「変なものって、いったい何だね」と問われ、「固い棒みたいなものがついた訳の分からないものだよ」と答えました。

するとついてきた四人の大人が、「いや違う」とそれぞれが触れたものを激しく言い合い、けんかになりそうでした。

その時、村長が言いました。

「よし、みんなで見に行こう！」

ロウソクを持って洞穴に向かう間も、みな自分の触れた物を主張します。村長が明かりを照らすと、そこには一頭のゾウが病気で横たわっていました。

「暗くて怖くて無理もないが、物事は全体を見なくてはいけないということだね」

村長は穏やかに言うと、ゾウ使いを呼びに行きました。

6 雪山童子（せっせんどうじ）

出典
『大般涅槃経』巻第一四

遠い昔のインドです。雪山（★1）童子と呼ばれる若者がいました。童子は悟りを求めて厳しい修行をするうちに、ヒマラヤの麓にまで分け入っていました。あたりはシーンとして別世界のようでした。

　すると突然、どこからか美しい声が響きました。

いろはにほへど　ちりぬるを
わがよ　たれぞ　つねならむ（★2）

　童子は驚いて周囲を見渡しましたが、誰もいません。

〝おかしいな。僕をあわれんで神様が声をかけてくれたのかな。いや、そんなはずはない〟

　童子がさらに遠くまで探すと、岩陰に鬼がいました。

〝こんな醜い鬼があんな美しい声を出すわけがない。しかし他に誰が？　よし、たずねてみよう〟

「さっきの美しい声はお前さんかい」

　鬼は、とぼけたダミ声で答えました。

「さあね、とにかく俺はハラペコ。頭がボーっとして、何かあらぬことでも言ったかね」

「さっき聞こえた言葉は、僕が求め続けてきた真理。だがどうも続きがありそうだ。お願いだ、どうかそれを聞かせてほしい。そうしたら生涯あなたの弟子として仕えよう」

「何を言ってるんだ。俺はハラペコで、すぐ死ぬぞ。生涯仕えるなんて意味ないね。そもそもお前さんは自分の要求ばかりで、眼の前の俺に、思いやりというものがないのか」

「ああ、そのとおりでした。あなたは何を食べるのですか」

「驚くなよ。俺は温かい人の肉を食べ、温かい血を飲むのだ」

「わかりました。続く言葉を教えてくださったら、僕の身体をそっくり差しあげます。約束します」

　鬼は童子の真剣そのものの瞳を見て言いました。

　さっきの美しい声です。

うゐのおくやま　けふこえて
あさきゆめみじ　ゑひもせず（★3）

「これこそは僕が命がけで求めてきた真理だ。あなたに僕の身体を差しあげることができたら〝命がけ〟を証明できる」

　童子は岩にも樹の幹にも、手当たり次第にこの言葉を書き刻みました。〝後の世の誰かがこの真理の言葉を必ず見つけてくれるだろう。そしてあらゆる人びとが苦しみを超えられるだろう〟

「これで僕の命はまっとうできた」

　童子は高い樹によじ登り、ひらりと身を投げました。

〝おや？〟と童子は思いました。冷たい地面に叩きつけられて命を終える覚悟をしていたのに、温かく柔らかい手に抱きとめられたのです。童子が目を開けると帝釈天（★4）の腕の中でした。

　鬼は、童子の心を確かめようとした帝釈天の仮の姿だったのです。帝釈天は、

「すばらしい、実にすばらしい。あなたこそ真の菩薩、将来必ず仏陀となって命あるすべてを救うに違いない」

と言いました。

（★1）ヒマラヤ
（★2）いろは歌前半。『涅槃経』の「諸行無常」と「是生滅法」を意味する。
（★3）いろは歌後半。『涅槃経』の「生滅滅已」と「寂滅為楽」を意味する。
（★4）バラモン教の神。

7 世界一の塔

出典
『大荘厳論経』巻第一五　第八四話
石匠石柱より下る喩

遠い昔のインドです。ある国の王様が、世界一の石の塔を建てるという石工名人のうわさを耳にしました。そこで王様は、早速名人を呼び寄せて、高さも材質も装飾も、もちろん頑丈さもすべて世界一の塔を建てるよう命じました。

名人は注文どおり、世界一の名に恥じない見事な石の塔を完成させました。王様もそのできばえに充分満足しました。

ところが、名人が塔の先端で最後の確認をしている時に、突然屈強な男たちが押しかけて、あっという間に足場を外し、名人は塔の先端に取り残されてしまいました。名人の家族や職人たちは驚いて、王様のもとに駆けつけました。

王様は、「確かに世界一の塔ができた。あっぱれなできばえだ。だが、あの石工を生かしておけば、また次にもっと見事な塔を建てるであろう。するとこの塔は世界一ではなくなる。余の名に恥じないだけの金貨を与えるから許せ」と言いました。

「お金は一銭もいりません。どうか父の命を助けてください」

息子が必死で頼みましたが、聞き入れられませんでした。

家族が泣く泣く塔のもとに戻ると、名人は何やらせっせと作業をしている様子でした。じっと見守っていると、やがて細い紐がスルスルと降りてきてその先にメモがついていました。

〈この紐より少し太い紐をこの先に結びつけよ。そしてあらゆる太さのロープを用意せよ〉

家族は太さの違うロープを、塔の高さぶん何種類も用意しました。

言いつけどおりロープを結ぶ時、息子は、その細い紐が、父の衣類を細く裂いて丁寧につないだものだとわかりました。まさに命綱です。結ぼうとしていたロープを見て、〝この太さでは命綱が途中で切れるかもしれない〟と思った息子は、急いでもう少し細いロープを求めて命綱に結びました。ロープは慎重に引き上げられました。名人は、引き上げたロープの先端を塔に括りつけると下に合図して、また同じように次の太さのロープをつながせ、スルスルと先端に引き上げました。

この作業を何度も繰り返すうちに、ついに名人の体重に耐えられる太さのロープになりました。名人は確かな技術でその太いロープを先端に固定して、用心深く降りて、やっとのことで無事に地上に降り立ちました。

「万歳！」と叫ぼうとする家族を名人は「シッ」と叱りつけて、夜の明けないうちに大急ぎでこの国を脱出しました。

8 ガマ菩薩

出典
『根本説一切有部毘奈耶薬事』巻第二
世尊遊行化事

　遠い昔のインドです。お釈迦さまが大勢の人々を前に法話をしました。お話が終わって人々は喜びにあふれて家へ帰りました。

　中にひとり、まだ立ち上がることもせず、うつむいている男の人がいました。やがて決心したように立ち上がり、お釈迦さまの後を追いました。

「お釈迦さま、ただいまのお話、私には難しかったのですが、とても大切なことと感じました。どうか私にわかるようにお話してください」

　お釈迦さまはその熱意にこたえて、わかるようにたとえ話を交えて丁寧に語りはじめました。

　そこは広い草原で、たくさんの牛が放牧されていました。牛の世話をしていた牛飼いの耳にも、お釈迦さまの涼やかな声が微かに届きました。

　その声の聞こえるところまで、牛飼いは吸いよせられました。

　牛飼いは怒りっぽくて、牛たちをむやみに棒で叩く乱暴な人でした。この牛飼いが、お釈迦さまのお話に耳を傾けるなんて誰にも想像できませんでした。

　しかしこの日は、お釈迦さまの穏やかな声の響きが、牛飼いの心の耳に届いたのでした。

　牛飼いは、いつもは牛たちを叩く棒を地面に立て、その上に両手を重ねて顎をのせ、お釈迦さまの話に聞き入りました。

　生まれて初めて聞くお釈迦さまのお話は、牛飼いの心をしっかり捉え、ひと言ひと言に深くうなずいていました。

　いっぽうで、この牛飼いを支えていた棒と地面の間に大きなガマガエルがいたのです。この広い草原に住むガマガエルは、牛飼いを良く知っていました。

　背中に棒がのった時、「おや何だろう」と首をねじって振り仰ぎ、ぎょろりと目をむきました。あの荒くれ者の牛飼いが、別人のようにお釈迦さまのお話に耳を傾けているのです。ガマガエルは最初自分の目を疑いました。けれどじっと立っている脚は、間違いなく見慣れた牛飼いのものでした。お話にうなずくたびに棒に力が入ります。ガマガエルは思いました。「もし僕が動いたら牛飼いは気が散って、せっかくの機会が無駄になってしまうだろう。よし決めた。牛飼いがお釈迦さまの大切なお話を真剣に聞いているなら、僕はこの痛みに耐えぬくぞ！」

　牛飼いの棒にはどんどん力が加わり、ガマガエルの背中を破り、ついに身体を突き抜けました。

「お釈迦さま、俺をお弟子にしてください」という声を遠くに聴きながら、ガマガエルは命を終えました。

9 欲ばりジャッカル

出典
ジャータカ 第一四八話
豺本生物語

遠い昔のインドです。いつもお腹をすかせているジャッカルがいました。

「あぁ、一度でいいからお腹いっぱい食べたいなぁ〜」

毎日お腹をペコペコにすかせて餌を探していました。そんなある日、ゾウの死体を見つけました。

ジャッカルは大歓声を上げたい気持ちにかられましたが、それを必死に耐えました。この幸運を他のジャッカルに見つかったら大変だからです。

ジャッカルはゾウをひたすら食べました。何も考えず、ただ食べました。そこは柔らかいゾウの肛門でした。食べ進むうちに、ジャッカルはゾウの胎内に入っていました。するとご馳走の海です。

生まれて初めて満腹を経験しました。

「フー」

幸せのため息もつきました。胃袋ははち切れそうでした。

「待てよ。今この時を逃したら、二度とこんなご馳走にはありつけないぞ」

そう思ったジャッカルは、まるで苦行に挑むようにまた食べ始めました。

ところで、外は厳しい日照りでした。ゾウはみるみるうちに乾燥していきます。ジャッカルは、食べながらあたりがだんだん暗くなるのに気づきました。夜になったのだと思いながら必死で食べ続けていました。しかし、朝の光は一向にさしてきません。実は強い日照りで、肛門は干からびて縮んでしまったのです。

「まさか、ここから出られない？」

ジャッカルは必死で外へ出ようとしました。しかし肛門は干からびて固く、乾燥はもっと中まで進んでいました。ジャッカルは食べ過ぎて、体が元の二倍の大きさになっていました。

「これ以上食べてはだめだ」

しかし、目の前のご馳走に目をつぶることはやさしいことではありません。

「ああ、誰か助けてくれー」

何日も全身を耳にして、外の音を聞いていました。

「あっ雨だ。凄い勢いだ。助かった！」

ゾウのまわりは池のようになりました。こわばっていた肛門は、水気を含んで少しずつ柔らかくなってきます。

「しめた！」

ジャッカルは全力で肛門から出ようとしました。ところが、食べすぎて太ってしまったので、なかなか出られません。何度か必死で挑戦を続けるうちに、やっと外に出ることができました。

しかし、狭い肛門を無理やり抜け出たので、ジャッカルの身体の毛はほとんど抜けて、赤裸になりヒリヒリと痛みだしました。

池の面に揺れながら映る無残な姿を見て、胃袋も心もキリキリ痛みました。

10 縁ありてこそ

出典
『根本説一切有部毘奈耶薬事』巻第一
世尊遊行化事

遠い昔のインドです。五百人の貧しい農夫が、やせた牛に助けられて田んぼを耕していました。農夫たちもやせ細り、すり切れた腰布をまとい今にも倒れそうでした。

お釈迦さまは遠くからこの様子をご覧になり、何とか助けたいと思いました。大勢の比丘（修行僧）たちに囲まれて、農夫たちの田んぼ近くの広場に座ったお釈迦さまは、農夫たちに聞こえるように話し始めました。

その声は、灼熱地獄のような田んぼで働いていた農夫たちの耳に涼風のように届きました。誰もが手を止め、気づいたら、お釈迦さまを取り囲む大勢の人々と共に、じっと聞き入っていました。

お釈迦さまは、農夫たちの心の底に届くように話しました。すると農夫たちは、心の琴線に触れられたのでしょう、皆立ち上がってお釈迦さまに合掌しました。

「お釈迦さま、どうか私たちをお弟子にしてください」

「よく来た、比丘たちよ。修行に励みなさい」とお釈迦さまが答えると、農夫たちは、たちまち自然に髪が落ち、黄色の衣をまとい、托鉢の鉢を持った姿に変わりました。この比丘たちは、ことのほか熱心に修行し、教えの理解に優れ、短い間に悟りの境地に達しました。

また、お釈迦さまは、動物たちにも短い教えを説くと、牛たちも天の世界に生まれました。

これを見ていた他の比丘たちは、不思議に思ってお釈迦さまに尋ねました。

「お釈迦さま、農夫たちはこんな短い間に悟りに達しました。いったいどんな理由があったのですか。それに、牛たちまでが天界に生まれるなんて、とても理解できません」

すると、お釈迦さまは遠くを見わたすような表情で語り始めました。

「気の遠くなるほど昔、迦葉仏（★）がこの世に現れた時代のことだ。バーラーナシーにあるサールナートという所で、農夫たち五百人が迦葉仏のもとで出家して修行していた。街の人々の施しを受けながらも、虚しい議論に明け暮れて真剣に修行をしなかった。その結果、命終えて後も、繰り返し繰り返し苦しみの多い人生を送った。しかし今ここで、私の説法に触れて真実の道を求める気持ちになったのは、迦葉仏の時代に、かりそめにも仏縁を得ていたからである。その時の怠け心を深く反省して〝今度こそは〟と修行に励んだのだ。牛たちもまた主人の農夫と同じように怠けて苦難の生を繰り返していた。しかし、今ここで主人の農夫たちが発心したのに触れて、自らの境涯を思い返し同じく発心したのだ」

比丘たちは、農夫たちが苦難を繰り返して、いま再び仏縁に恵まれた経緯を知り、自分たちの今に、あらためて感謝の思いが湧きあふれ、心からの合掌を捧げました。

（★）釈迦仏以前に出現した七仏の第六

II 黄金の毒蛇

出典
『大荘厳論経』巻第六 第三四話

遠い昔のインドです。ある日のこと、お釈迦さまは弟子のアーナンダと農村を歩いていました。行く手の田の畔にアリ塚がありました。二人はそこに立ち止まって言いました。

「アーナンダよ、毒蛇がいる」

「はい、お釈迦さま。悪蛇でございます」

二人の会話の「毒蛇」「悪蛇」だけが聞こえたお百姓は、あとからそっと塚に近づいて、恐る恐るのぞいてみました。見ればそれは毒蛇ではなく、夕闇の中で光を放つたくさんの金貨でした。

夜になるのを待って、お百姓はその金貨を全部家に持ちかえりました。貧しかったお百姓は、初めての大金が嬉しくて、食べ物、着る物、履物など、それも高級品ばかり手当たり次第に買い求め、妻には高価なアクセサリーを与えました。もう畑にも行かず、買い物に明け暮れ、次は家を建てようかとも思いました。

近所の人たちが不審に思っていた時、役人が来てお百姓を連れて行きました。厳しい取り調べが始まったのです。

「どこの家から盗んできた」

「どこの家からも盗んでいません」

「貧乏なお前に貯えでもあったというのか！」

「道端で見つけたんです」

「こんな大金が道端に落ちているはずはない。いつまでも嘘をついていると、お前はここからずっと出られなくなるぞ。家族はどうなるか！」

「本当に道端で見つけたのです。そこへ案内します」

お百姓は役人たちと田の傍らの塚へ来ました。

「なんだ、これはただのアリ塚ではないか」

「この中にあったのです。本当です！」

役人は遠くまで行かされた上、またしても嘘をついたと、お百姓を手ひどく懲らしめました。

お百姓は嘘をついてはいないのに、役人たちは腹を立ててまともに相手にしてくれず、大声でどなったり手荒な扱いをするばかりです。

お百姓はだんだん口をきくのがいやになってきました。牢屋の隅にうずくまって、一日中ブツブツ何かを繰り返し言っています。

役人たちもこのままでは埒があかず困っていました。ある時、役人の一人が聞き耳をたてると、「ドクジャーアクジャー、ドクジャーアクジャー」と聞こえてきました。お百姓が正気を失って意味もないことを口走っていると思った役人は、態度を変えて尋ねました。

「もう一度聞く、あったことをそのまま言ってみよ」

「二人の坊さんが塚の前で〝毒蛇、悪蛇〟と言いました。行って見たら金貨の山でした。坊さんのくせに嘘をついたと思いました。でも今になると、あれは本当に毒蛇で悪蛇でした。あの方々は本当のお坊さまでした」

そのお坊さんとはお釈迦さまかもしれないと、役人は思いました。

12 親思いのサーマ

出典
『六度集経』巻五 四三話
道士の本生

遠い昔のインドです。山奥深くにサーマという若者が、老いて目の見えない両親と暮らしていました。

サーマは才能豊かでしたが、出世にも商売にも関心がなく、両親の穏やかな暮らしを支えつつ、真の道を求めていました。森は木の実や果物が豊かで、水にも恵まれていました。

ある日サーマは、水を汲みに谷川へ下りました。いっぱいになった水がめを抱えて立ち上がったその瞬間、ダッという鈍い音がして、背中に強いしびれが走りました。

シカ狩りをしていた王様が、水辺の物音をシカだと思って毒矢を放ったのです。駆けよって若者が倒れているのを見た王様は驚いて言いました。

「こんな山奥に人がいるとは。いったいどういうことだ」

「王様。私には象牙も角もありません。ただ道を求めているだけです。それなのになぜ私は殺されなければいけないのですか。王様は一本の矢で三人の命を奪うことになるのです。私の両親は年老いて目が見えず私なしには生きていけません…」

「あぁ、何という過ちを犯してしまったのだ。早くご両親に告げて詫びなくては」

「両親はこの獣道の先の庵にいます。〝突然ですがお別れです。どうか私のことで思い悩まず、残る日々を安らかにお暮らしください〟と伝えて…」

言い終わらないうちに、サーマは息を引き取ってしまいました。

王様の一行は、あふれる涙を拭いもせず庵に急ぎました。

「こんな山奥へどなたさまですか。間もなく息子が戻ってきます。それまでどうかそこでお待ちください」

「あぁ、その大切な息子さんに私は誤って矢を放ってしまった。その息子さんを待つあなた方の姿を見るだけで私の胸は張り裂けそうだ。お詫びの言葉もない」

「何ですって。サーマがどんな罪を犯したのですか。我が子ながらあんなに素晴らしい子はこれまで見たことがありません。とにかく私たちをサーマの所に連れていってください」

王様は嘆きのあまり躓きながらも二人を抱えるようにしてサーマのもとへたどり着きました。父はサーマの頬に額を押し当て、母は両脚をかきいだいて、なでさすりつつ悲しみの声をあげました。

「あぁ神様、我が子サーマは真の道を歩みました。私たちを大切に支えるばかりでなく森の全ての生き物を敬い守り、いつも周囲を愛しみ自分のことは最後にしていました。私の言葉に嘘がなければこの矢は抜けてサーマは生き返るでしょう。もしサーマの歩みが拙くて私に嘘があるなら、どうかここで息子とともに死なせてください」

その時、天の妙薬が一滴サーマの口に滴り落ちて、サーマはたちまち生き返りました。両親も王様も集まっていた動物たち、すべて命あるものは、喜びに満ちあふれていました。

13 信頼（しんらい）

出典
ジャータカ 第三六一話
色高本生物語

遠い昔のインドです。とある森の洞窟に、ライオンとトラが住んでいました。そばにジャッカルが、二頭の食べ残しで命をつないでいました。食べ残しとは言いながら、けっこうなご馳走でした。

ジャッカルはついこの前まで、あばら骨の突き出たお腹を抱えてよろよろとさまよっていたのでした。ここに来てからは空腹の不安がなくなり、今までの自分をもう忘れかけていました。

苦しいほどに膨れたお腹をさすりながら、ライオンのように寝そべって、ふとこんなことを思いました。

「ライオンもトラもさすがだなぁ。ここに来てから毎日がご馳走ぜめだ。ずいぶんいろんなものを食べたなぁ。シカにイノシシにワニにガゼル、シマウマもうまかったなぁ。そういえばライオンとトラはまだだ。さぞかしうまかろうな。よし名案があるぞ」

ジャッカルは、トラが留守の時にライオンに言いました。

「旦那さま、トラさんとけんかでもしたのですか」

「何でそんなことを言うんだ」

「いや、このまえ旦那さまが留守の時に、トラさんがこんなことを言ったんですよ。

〝ライオンを森の王様ということにしているのは、この俺さまが賢いからさ。実際は俺さまのほうが十六倍以上も強いんだ〟とね」

ライオンは低くうめいて言いました。

「あいつはそんなことは言わない。不愉快だ。お前なんか出ていけ」

ジャッカルはそそくさと洞窟を出ました。都合のよいことに、洞窟へ戻る途中のトラに出会いました。

「旦那さま、ちょうどよいところでお会いしました。ライオンの旦那が言ってますよ。〝トラのやつめ、この洞窟で俺さまと一緒に暮らすなんて図々しいやつだ〟とね」

「馬鹿も休み休み言え。そんなことは言うはずがない。いい加減なことを言うと許さんぞ」

そう言ったものの、トラは気になってライオンに尋ねました。

「ジャッカルのやつが言うんだが、ここで俺がお前と暮らすのは図々しいとお前さんが言ったのかい」

「長年助け合って暮らしてきた者より、おこぼれ目当てに昨日今日やってきた者の言葉を信じるのかい。こんな言い伝えを聞いたことがあるだろう。

容易に他人の悪口を信じれば
友情はぼろ布のように捨てられて
怨みをますます生むだろう
相手の至らぬことばかりに
目くじらをたてるのは友ではない
母の懐の赤児のように安らぎあえる者たちこそ
真の友情で結ばれる」

トラはひと時でもライオンを疑ったことを詫びて、いっそう仲良く暮らしました。陰でこっそり聞いていたジャッカルは、恐れをなして二度と近づきませんでした。

洞窟の傍らの一本の木が、この出来事の一部始終を見守っていました。

14 嫉妬（しっと）

出典
ジャータカ 第四一七話
迦旃延本生物語

遠い昔のインドです。父を亡くした青年が、母親のカッチャーニを大切に世話して暮らしていました。母親は自分の世話より、結婚するように息子に勧めました。息子はなかなか耳を貸さないので、母親が努力して結婚させました。新妻は、夫を見習って健気に姑を世話しましたが、次第に飽きて姑を邪魔にし始めました。

「お姑さんのせいで、私たちには子どもが授からないのよ。出て行ってもらって…」

隣の部屋から漏れてくる声に息をのみ、息子思いのカッチャーニは自分からそっと姿を消しました。

すると、息子夫婦は間もなく子宝に恵まれました。知人から、息子家族が三人で幸せに暮らしている様子を聞くと、カッチャーニは激しい嫉妬に襲われました。

「こんな不公平なことが許されるなんて、正しい法が死んでしまったのだわ。今から法の葬儀をしなくては」

カッチャーニは、お供えの材料と調理道具を持って墓地へ行きました。

沐浴し、火をおこしお供えの仕度をしていると、見慣れない仙人がやってきて言いました。

「ここで食事の支度とは何事か！」

「法が死んでしまったから、その弔いのお供えを拵えているのです」

とカッチャーニは答えました。

「法は死なない」。厳かな仙人の声でした。

「いいえ。嫁は私を邪魔にして、私がいなくなれば喜んで、子宝に恵まれて親子三人幸せに暮らしているのですよ。これでも法は生きていますか」

「よろしい。私はそなたを助けに来たのだ。それでは嫁と孫をその火で焼いて灰にしてやろう。そしたら気が晴れるだろう」

「やめてください！　とんでもない。私は、孫も嫁ももちろん息子もみんなかわいいのです。四人で仲良く暮らせることが願いなのです」

「ほら、気づいた。さっきまで憎んでいた嫁を死なせたくないという心変わり、法が生きている証ではないか」

「でも、そんな夢がどうやって叶うのでしょう。あの二人にとって私は邪魔者なんです」

「昨日まではそうだったかもしれない。そなたの嫉妬を、そこの火ですっかり焼き尽くしてしまうのだ」

気がつくと仙人の姿は消えていました。

「やっぱり夢を見ていたのだわ」

カッチャーニは淋しく笑って地べたに座り込んでしまいました。がっくりと疲れてうとうとした時でした。

「お母さーん。お母さーん」

と呼ぶ声が近づいてくるのです。息子と幼子を抱いた嫁が駆け寄ってきます。

「お母さん、申し訳ありませんでした。夕べ私たちは同じ夢を見ました。お母さんがとても悲しい顔をしていたのです。本当にすみませんでした」

初めて孫を抱くカッチャーニの肩に、二人は額を預けました。

15

金(きん)の羽(はね)

出典
ジャータカ 第一三六話
金色鵝鳥本生物語

遠い昔のインドです。心優しい裕福な男が、妻と三人の娘とともに平和に暮らしていました。

ところがある日、突然に男は急病でこの世を去りました。残された妻と三人の娘たちは、驚き悲しみ途方にくれました。

従兄が、四人を引き受けることになりました。しかし、この従兄は亡くなった夫と違って、優しい人ではありませんでした。自分たちは立派な屋敷に住み、屋敷の中には空いている部屋がいくつもありましたが、四人の女性たちには屋敷の裏の隅の粗末な小屋をあてがいました。そして、雇っていた小作人を解雇して、この四人を働かせました。給料もなくわずかの食事を与えるだけでした。

妻も娘たちも、暮らしの急な変化に戸惑い嘆いて、一日一日を涙とともに暮らしていました。

そんなある日の夕方、娘たちが使った農具を洗いにいつもの川べりへ行くと、一羽の白鳥が水辺の草の間で餌をついばんでいました。娘たちが近づいても白鳥は逃げる様子もなく、じっと娘たちを見ていました。

やがて娘たちが帰ろうとすると、白鳥は一声鳴いて舞い上がり、羽を一枚落としました。娘たちが大切に持ち帰ると、それは金色に変わりました。母親は娘たちの話を聞いて不思議に思いましたが、次の日の朝早く街へ行ってお金に換えてきました。

娘たちは毎日白鳥の羽を持ち帰りました。母親はそれをせっせと蓄えました。

そんな日が何日か続き、娘たちは白鳥との出会いを楽しみに仕事に励んでいました。

ところがある朝、母親は娘たちについて畑に行き、夕方白鳥が舞い降りるところを待って捕まえ、用意してきたロープで身体とくちばしを縛って袋に詰めてしまいました。

娘たちは驚いて、泣きながら母親に訴えました。

「お母さん、やめてください。この白鳥はお父さんに違いありません。あの優しい瞳はお父さんです」

「お母さん、ロープをほどいてください。この白鳥はお父さんの匂いがします」

「お母さん、お願いですからこの袋を開けてください。私は小さかったので、お父さんのことを何にも覚えていないのです。お父さんの温かい身体を抱かせてください」

三人の娘は涙とともに叫びました。

母親は耳を貸さずに家に急ぎ、白鳥の羽をむしり取ってしまいました。小屋中に散らばる羽はいつまで待っても白いままでした。娘たちは声をあげて泣きました。その涙が白鳥の身体に落ちると、たちまち白い羽が生えて身体を包みました。

⑯ やさしいナンディヤ

出典
ジャータカ 第三八五話
難提鹿王本生物語

遠い昔のインドです。とある広い森に、たくさんのシカが住んでいました。そこにナンディヤという堂々とした心正しいシカが、両親と共に暮らしていました。

その国の王様はシカ狩りが大好きでした。森の近くのお百姓さんたちは、シカ狩りのたびに畑を荒らされて困っていました。そこでお百姓さんたちは相談して、シカを森の一画に囲い込み、王様に、「そこだけで狩りをしてください」と頼みました。家来が、囲いが相当広いことを王様に伝えると、王様は承知しました。

お百姓さんたちは手に手に棒を持って、森中のシカを囲いの中へ追い込みました。

ナンディヤは小さな藪の中に両親をそっと隠すと、自分だけピョンと跳び出して囲いの中に入りました。お百姓さんたちは、「あんな小さな藪には一頭しかいないだろう」と思ったので、両親は無事でした。ナンディヤは両親を囲いの中に入れずにすんでホッとしました。

王様は、苦労せずにシカが欲しいだけ手に入るのでご機嫌でした。

ある日、ナンディヤは王様に矢を向けられていることに気づきました。ナンディヤは、「ついにその時が来た」と覚悟して、静かに脇腹を王様に差し出すように立ちました。王様は驚きました。逃げ出さないシカは初めてでした。よく見ると、鹿は瞳を潤ませて王様の顔を見つめていました。

「なぜ逃げないのだ」

王様は尋ねました。

「私は王様のこの森で生まれ、今日まで生かせていただきました。今はそのご恩をお返しする時です」

「ではなぜ涙ぐんでいるのか」

「はい、私はご恩返しができますが、王様は殺生の罪を犯すことに…」

「うーん、心を持たないこの木切れの矢でさえ、お前の徳を感じて弓から離れようとしない。それが心を持つ人間の身でありながら、私はお前を射ようとした。実に恥ずかしい。どうか私を許してほしい。お前の身の安全は私が保証する」

「この森には無数のシカがいます。このものたちはどうなりますか」

「皆お前の仲間だ。身の安全を約束しよう」

「この森には他にもたくさんの動物や小鳥、虫たちも、せせらぎには魚たちも数え切れないほどいます」

「おお、命ある全てのものが安心して生きられることを約束しよう」

「王様、ありがとうございます。これで安心して、藪の中で息を潜めて、私を待ち続けている両親に会いに行けます」

ナンディヤの走りゆく後ろ姿を、王様は合掌して見送りました。

17 白象の徳

出典
ジャータカ 第四五五話
養母象本生物語

遠い昔のインドです。ヒマラヤの山中に、見事な白象がたくさんの仲間を従えて暮らしていました。白象の母は老いて目が見えず、自分で食べ物を手に入れることができません。白象は遠くまで出かけては、おいしい果物を次々と手に入れ、それを母に与えるよう仲間に命じていました。

ある時、母を訪ねてみると、やせて元気がありません。おいしい果物は母に届いていなかったのです。そこで白象は仲間を離れ、自分で母を養うことにしました。山の中に大きな洞穴を見つけて、そこを母の住まいとして安心して暮らしていました。

そんなある日、道に迷った男が大声で助けを求めるのが聞こえました。白象は、人間と関わることにやや不安を覚えましたが、見殺しにできず、困り果てた男を背中に乗せて、森の外へ連れだしてやりました。

街では、王様の乗り物の象が死んで、新しい象を探していました。男は「しめた」と舌打ちして白象の居場所を教えました。象使いの一行と共に森に入った男の声がして、白象はすぐに危険を察知しました。母に不安を与えないことが何より大切だと考えた白象は、人間たちを踏みつぶすことはせず象使いに従いました。象使いは王様に手紙を書いて、立派な象を連れ帰ることを知らせました。

一行が七日後に街に着くと、王様は想像をはるかに超えた純白に輝く堂々とした白象を見て、大喜びで迎えました。美しくしつらえられた象舎には香まで焚かれていました。王様は白象に直々に極上の果物を与えました。

けれど白象は、銀の縄のような鼻をだらりと下げたままで一向に食べようとしません。「母がお腹をすかして心配しているだろう」と思うと、とても食べる気にはなれなかったのです。王様は気が気でなく、「頼むから食べてくれ」と哀願しました。その時、王様は白象の目に涙があふれそうなのを見て驚きました。きっと何か訳があるのだろうと考えた王様は、象を森に帰してやることにしました。

数日後、象使いを連れた王様が森に入りました。すると、健気に母に食べ物を与えている白象を見つけました。さらに近づくと、母の目が見えないことがわかりました。王様は胸が熱くなりました。「余は、あの見事な白象に乗って、自分を立派に見せることしか考えなかった。ところがあの白象は、目の見えない母をひたすら思って食事さえも取ろうとしなかった…」

王様は豊かな池のあるところに、象の親子のために村を作り、象の姿を石に刻んで、長く母思いの白象の徳を讃えました。

18

葦(あし)のストロー

出典
ジャータカ 第二〇話
蘆飲本生物語

遠い昔のインドです。大きな森がありました。その森に猿の一族が住んでいました。群れにはかわいい赤ちゃんをお腹に抱えたお母さん猿も、元気な若者猿も、そして年老いた猿もいました。

その森はたくさんの実のなる木々があって、猿たちはいつもお腹いっぱいに食べることができました。

一族が平和に暮らすことができたのは、もう一つ理由がありました。それは一族のリーダーがとても賢く、群れの猿たちが無事に暮らせるようにいつも洩れることなく気配りをしていたからでした。

あたりの実をほとんど食べ尽くしたので、一族は移動することになりました。

リーダーは前もって次の移動先を調べておきました。そこはいつもより移動の距離が遠かったのです。

そこで出発の前にリーダーは、一族を集めて注意しました。いくつか話した後で、もっとも大切なことを告げました。

「いいかい。最後に絶対に忘れてはいけないこと。食べ物も飲む水も必ず僕に確かめてからでなくては口にしてはいけない。毒からみんなの命を守るためだ」

一族の移動が始まり、一日が終わろうとするころ池がありました。みんな喉が渇いていたので大喜びです。

「リーダー、水を飲んでもいいですか。喉がカラカラです」

リーダーは皆を制して池の様子を調べます。あたりに他の生き物の気配がなく、気味悪いほど静まりかえっています。おかしいと思ったリーダーは、さらに詳しく観察します。すると発見がありました。池のほとりの砂地には中へ向かう足跡がたくさんあるのに、戻ってくる足跡は一つもないのです。

「よくごらん。足跡がみんな水の中に向かっているだろう。帰って来る足跡があるかい」

「リーダー、これはどういうことですか」

「中に危険がひそんでいるに違いない。だから中に入らずに、水を飲まなくてはいけない」

「もうこれ以上辛抱できません。喉がくっついて死にそうです」

その時、リーダーの目にとまったのが岸辺の葦原でした。葦をできるだけ長く切り取って、細い棒で節を突いてストローにしました。リーダーにならって皆が必死でストローを作り、幼い猿や年寄りの猿に渡して、ようやく全員が池の水を飲むことができました。

池の底には、奇妙な怪物が住んでいたのです。たくさんの猿が集まってくるのを見て、ご馳走で満腹になるのを夢見て、のんびりまどろんでいた怪物は、とつぜん水が干上がって身動きがとれません。水をたっぷり飲んで元気になった猿の一族は、無事に逃げ延びることができました。

19 心の宝

出典
『法華経』巻第四
五百弟子授記品第八

遠い昔のインドです。ある街にナンダという貧しい男がいました。

街の祭りの日に、幼友達のダナカにばったり出会いました。久しぶりに見るダナカは立派な服装でした。

いっぽうナンダは、擦り切れたみすぼらしい身なりでした。ナンダが気おくれして隠れようとすると、ダナカは昔のままのあふれるような友情をこめて言いました。

「やぁナンダ、久しぶりだね。元気だったかい。うちでゆっくり語り明かそうじゃないか」

ダナカは心の底から懐かしみ、妻と二人でナンダをもてなしました。

おいしい料理をお腹いっぱいご馳走になって、ナンダは夢見心地で客間の清潔なベッドに入りました。

ところがダナカは、夜中に急な知らせが届いて、明け方に旅に出ました。

「ナンダさん、申し訳ありません。主人は遠くに急用ができまして、朝まだ暗いうちに出かけなくてはならなくて。数日で戻りますから、それまでどうかごゆっくりなさってくださいと申しておりました」

ナンダは急に居心地が悪くなりました。ダナカに会うまでは、この貧乏が自分の当たり前の姿で、別段どうとも思いませんでした。それがひと晩ダナカの豊かな暮らしの中に身を置いたとたんに、自分の貧しさが惨めに思えて、とてもそこに身を置くことはできず帰ることを告げました。

「主人が帰ったら、どんなにがっかりするでしょう」

ダナカの妻はそう言って、夜中に丁寧に繕った腰布をそっと渡しました。

ナンダはダナカの幸運を妬み、自分の不運を恨んで真面目に働く気力をなくしてしまいました。

「どんなに働いたってダナカの足元にも及ばない。あんな暮らしは自分には毒だ。会わなきゃよかった」

ナンダは一日中道端でごろりとする怠けた日々を送っていました。

ところがダナカは、忙しい仕事の合間を縫ってナンダを探していました。

ある日ナンダは、ダナカが自分を探しているらしいと知って、なるべく人目につかない物陰に寝転んでいました。ところが、ぐっすり眠りこんでいるところをダナカに見つかってしまいました。

「ナンダ、やっと見つかった。どうしているかと心配でたまらなかったよ。ところで君、なんでそんなに粗末な服装をしているんだ。君の腰布にダイヤを縫い込ませておいたのに。気づかなかったのかい」

ナンダが手で探ると、大きなダイヤが縫い込まれていたのです。

「き、君はこんなにまで僕のことを…」ナンダの目には大粒の涙が光っています。

「ダナカ、心配してくれてありがとう。君は僕の心にとっても大きな宝物をくれたよ。だからこのダイヤは返すよ。本当にありがとう」

その日からナンダはよく働き、生き生きと暮らしました。

20 おしゃべりなカメ

出典
ジャータカ　第二一五話
亀本生物語

遠い昔のインドです。ある国におしゃべりの大好きな王様がいました。賢い大臣は何とかしなくてはいけないと案じていました。

ちょうどその頃ヒマラヤ地方のある池に、一匹のカメが住んでいました。友達もなく淋しいひとり暮らしでした。ある日珍しいことにガチョウが二羽やってきました。二羽のガチョウはわき目もふらず餌を食べていました。

「よっぽどお腹が空いていたんだね」

カメが声をかけると、食事に熱中していたガチョウは少し驚いて言いました。

「やあカメさん、こんにちは。途中の池に餌がなくて困ったけれど、ここには餌があって助かったよ」

「それは良かったね。途中の池って、この近くにあるの」

「いや近くではないよ。森をいくつも越えて飛んできたんだ」

「そうか、いいねぇ、ガチョウさんは。立派な羽があるからどんな遠くまでも飛んでいけるんだね。僕なんか羽はないし、足はのろいし、ずっとこのあたりを歩き回るだけなのさ。あぁ君たちが羨ましい」

沈んでいるカメにガチョウは言いました。

「カメさん、君はそんなに遠くに行きたいの」

「そうだよ。だけど僕には夢にも見られないことさ」

「そんなことないよ。カメさんだって遠くへ行けるよ」

「ええっ、まさか。いったいどうやって」

「ほら、そこにちょうどいい枝がある。君がこれをしっかりとくわえて、僕たちが枝の両端をくわえて、遠くまで連れて行ってあげるよ」

カメは信じられないという顔つきで二羽のガチョウをかわるがわる見ました。

「ただしカメさんは、その口でこの枝をしっかりくわえていなくちゃいけないよ。できるかい」

「もちろんできるよ。嬉しいな」

二羽のガチョウは枝の両端をくわえて空高く舞い上がりました。カメは空に吸い込まれるように高く上がっていきました。

すると遊んでいた子どもたちが、これを見つけてはやしたてました。

「ほらほら、カメがガチョウに捕まってどこかに連れていかれるぞ」

カメは我慢ができませんでした。自分は空の旅をする勇敢なカメなのだと言おうとして口を開けたとたん、まっさかさまに落ちて二つに割れてしまいました。

そこはあのおしゃべり好きの王様の宮殿の庭でした。ちょうど王様と大臣は庭を散歩していました。そこへ空からカメが降ってきたのです。賢い大臣は空を見上げてすぐに理解しました。王様に、枝をくわえて飛ぶ二羽のガチョウを指さしました。

「たった一言を堪えられないで、このカメは命を落としてしまいました」

王様は身震いして、それからは大切なことだけを話す王様になりました。

21 見えない敵

出典
ジャータカ 第七〇話
鋤賢人本生物語

遠い昔のインドです。ある国の王様が戦に勝って凱旋してきました。

するとその行列の前を、一人のお百姓さんが、

「勝ったぞ、勝ったぞ！」と叫びながら駆けてきます。

王様はお百姓さんを呼び止めて尋ねました。

「私はいま戦に勝って城へ戻るところだが、お前はいったい誰に勝ったのだ」

「はい、わしは今まで長く苦しい戦いをしてきました」

王様は馬をおりて、お百姓さんの話に耳を傾けました。

わしは鋤一丁だけしか持たない貧しい百姓です。これまで何とか食べてきました。ところがある日、急に不安に襲われました。

こうやって畑仕事で毎日が暮れていく。この先ただ老いぼれて死ぬだけではないか。そう思うと居ても立ってもいられなくなりました。

ちょうどその時、畑の向こうをお坊さまの列が通りかかり、そのお顔がみな穏やかでした。それでわしは決めました。よし、わしも仲間にしてもらおう。

ところが、大事な鋤のことが頭をよぎりました。あれはわしの宝物だ。あれを小屋にしまってからにしよう。そして次の日、森へ入って坐禅を始めました。すると今度は、鋤のことが気になりました。鍵はかけたはずだが、あの鍵で大丈夫かな。そう思うと、もうじっとしてはいられません。小屋まで走って戻りました。あった、無事だった。やっぱりわしはお前と畑に出るのが一番だ。しかしまたしばらくすると、そうしてはいられなくなりました。

「お前、淋しいだろうが待っておくれ」

鋤を小屋の一番奥にかくして森へ戻りました。坐禅を組むと、また心が動き出して小屋へ駆け戻りました。鋤を手に取ると落ちつきました。

「この柄の滑らかさはどうだ。わしの丹精が籠っている。それにこのピカピカの刃、ずうっと毎日磨き続けてきたからな。これ以上の鋤はどこにもないさ」

しばらく畑に出ると、また森へ行きたくなりました。

これを六回繰り返したんです。ある日わしは畑の真ん中に座り込んで、とことん考えました。

「鋤が大事で畑が好きならそれでいいじゃないか」

「そうなんだ。でもやっぱり心が落ちつかないんだ」

すると初めて別の気持ちが湧きました。

〈その大事な鋤も、いつか柄が折れるかもしれない〉

そう思ったとたんに決心がついたんです。鋤を担いで近くの川へ走りました。「今までありがとう。さよなら」と叫んで力いっぱい速い流れの真ん中めがけて投げ込みました。わしはわしに勝ったんです。これでやっとお坊さんの仲間に入れてもらえます。

王様は心に深く感じて、お百姓さんに続きました。

「武器を捨てて、見えない敵に立ち向かうことにする」

22 五武器王子

出典
ジャータカ　第五五話
五武器太子本生物語

遠い昔のインドです。ある国に王子が生まれました。王子は、優れた占い師がはっきりと言いました。

「王子は、将来五つの武器を使いこなすインド最高の王になります」

王は喜んで「五武器王子」と名づけました。王子はすくすく成長して十六歳になりました。王の指図でガンダーラの都タッカシラーへ修行に行きました。すべての技芸を身につけ、師匠から五つの武器を授かって帰国の途に着きました。

途中の森の入口で人々が止めました。

「この森に入ってはいけません。シレーサローマ（身体全体がネバネバの毛で覆われている）という恐ろしい夜叉（怪物）がいて、生きて通った人はありません」

王子は全く気にも留めず森に入りました。少しすると空から大声が降ってきました。

「ちょうど良い、おいしそうな餌がきた」

王子が見上げると、十階建てほどもある巨大な夜叉がどなりました。王子はビクともせずに毒矢を放ちました。ところが五十本の矢は、すべて夜叉のネバネバの毛にくっついて役にたちません。それでも王子は恐れもせず、巨大な剣を抜いて切りかかります。

剣もやはりネバネバの毛にからめとられてしまいます。王子は屈せず槍、棍棒で次々に攻撃します。しかしどれも夜叉にとっては、蚊に刺されたほどにもなりません。王子はそれでもひるまず言います。

「よく聞くがよい。私は武器を頼りに戦っているのではない。私自身を信じて戦っているのだ」

今度は素手で夜叉に立ち向かいました。右手、左手、右足、左足すべてネバネバの毛にからめとられて、王子は夜叉の膝あたりで、それでもなお胴体を必死でゆすって立ち向かおうとしています。夜叉は初めてのことで驚き王子に尋ねました。

「若者よ、お前は殺されるのが怖くないのか」

「なぜ私が死ぬのを恐れなくてはならないのだ。一度生まれたら必ず一度は死ぬと決まっているではないか。それに私のお腹の中には金剛の杵（★）があって、お前が私を食べれば、その金剛の杵で内臓はズタズタになるのだ。どうして怯える必要があろう」

夜叉は驚きました。〈この若者はふつうの人間ではない。食べないほうが身のためだ〉

王子は夜叉の判断を見抜きました。

「夜叉よ、お前はこれまでどれだけの命を奪ってきたのか。こんな生き方から抜け出したいとは思わないか。これまで幾世代にもわたって苦しめてきたあらゆる命に心から詫びて、人の役にたつ暮らしをしてごらん。そうしたら優しい人間に生まれ変われるよ」

巨大な夜叉は、王子と同じ背丈になって、王子の前に手をつきました。


（★）金剛の杵…「最高の智慧」という意味

23 疫病のくすり

出典
『撰集百縁経』巻第二 第一四話
仏、疫病を救済し給ふの縁

遠い昔のインドです。お釈迦さまが竹林精舎にいらした時のことです。

近くの集落で悪性の疫病がはやり、村人は次々に亡くなっていきました。恐怖におののく村人は、あらゆる神さまに精一杯のお供えをして疫病の退散を祈りました。

けれども何の効果もなく、疫病はますます猛威をふるいました。絶望しきって生きる気力をなくした村人の中に、お釈迦さまの教えを聞いている人があり、ある日彼は村人に話しました。

「お釈迦さまというお方が竹林精舎にいらっしゃる。このお方はあらゆる人々の幸せをご自分のこと以上に願っていてくださる。このお方をお訪ねして、この疫病から助けていただこうではないか。まずは皆が心を一つにして〈南無仏陀〉と心の底からお願いしよう」

村人は心を合わせ声を合わせて、〈南無仏陀〉とひたすらに称えました。すると竹林精舎のお釈迦さまの心に、村人の篤い願いが響きました。

お釈迦さまはただちにお弟子がたを連れて、その村へ向かいました。村のほうから〈南無仏陀、南無仏陀〉と称える声が聞こえると、お釈迦さまの歩みがさらに速まり、そして人々の声がどんどん大きくなりました。

正体のわからない疫病がはやり、次々に仲間が亡くなっていく恐怖で村人は生きた心地がしませんでした。その心根を痛いほどに感じるお釈迦さまは、右の手のひらをやさしく向けて大丈夫という仕草をしました。

村人は、病気に苦しむ幼児を見守る母のような温かさに、気持ちが和らぎました。

「皆さん、恐れることはありません。心を穏やかにして日々の生活に勤しむことです。疫病を悪鬼と思って敵対すれば、まず自分の心がむしばまれます。疫病に罹っても罹らなくても死を免れる人はありません。ですから心静かに優しい心で生活しましょう」

村人たちは、お釈迦さまの言葉を胸に刻んで努力しました。次第に恐怖心から抜け出すことができ、やがて疫病は収まりました。

村人たちはお釈迦さまに感謝の心をお伝えしようと、総出でおもてなしをしました。まず道路を徹底的に清掃し、旗をたて鈴を掛け香水を注ぎました。食事がすむと、村人は待望のお説法を聴き、深く教えに帰依しました。

お弟子たちはこのことを不思議に思い因縁を尋ねました。お釈迦さまは過去世をふりかえりました。

「気が遠くなるほどの大昔、この国に日月光仏というお方がおられた。大勢のお弟子と共に、国王の盛大なおもてなしを受けられた。王の願いは疫病の退散だった。仏は身に着けていた衣を王に託して疫病を収めた。王の喜びはこの上なく、悟りの心を起こした。仏は『遠い将来、王は釈迦牟尼仏となって人々を救うであろう』と予言なさった。これが今の私です」

お弟子たちも村人たちも、お釈迦さまのお話が骨身に沁み込むのを感じました。

24 世々生々の父母兄弟

出典
ジャータカ 第六八話
娑祇多城本生物語

遠い昔のインドです。コーサラ国のサーケータという町のはずれに、アンジャナ林という林がありました。

その一画に「鹿の園」があり、お釈迦さまはこの「鹿の園」に、比丘（修行僧）たちと共にたびたび滞在なさいました。

ある日のこと、お釈迦さまの一行が、いつものようにサーケータの町に托鉢に入ろうとした時です。

その町に住む一人の年老いたバラモンが、町の外に出かけようとしてお釈迦さまと出会いました。

老いたバラモンはお釈迦さまのお顔を見ると、驚きの表情をしてその前にひれ伏し、お釈迦さまの足首をつかんで言いました。

「これ、息子というものは両親が老いたらその面倒を見るものだ。なぜお前はこんなにも長い間姿を見せなかったのか。さあ母さんのところへ来ておくれ。母さんがお前をどんなに待っていたか、会ったらどんなに喜ぶか」

お釈迦さまは老バラモンに従ってその家に行きました。

「息子や、お前いったいこの途方もなく長い間、どこへ行っていたの。親を放り出して。親が老いたら息子が世話をすることはこの国の大事な掟でしょう」

バラモンの妻は、息子に会えたことを喜んで涙を拭きながら言いました。そして、一緒に暮らす息子と娘にも挨拶をさせました。

バラモン夫妻は嬉しさにあふれて、お釈迦さまと比丘たちに精一杯の食事で歓待しました。

食事がすむと、お釈迦さまは短い教えを語りました。

一二〇歳まで生きようとまだ七歳であろうとも
人は縁によって命を終える。愛と貪りが苦しみを
生ず。
貪りを捨てると蓮のようになる。
蓮は清らかに涼しく咲いている。
穢れた水に在りながら。

夫妻はこれを聞いて静かな悟りの境地に近づきました。お釈迦さまと比丘たちは、アンジャナ林へ帰っていきました。

比丘たちは集まって話しあいました。

「お釈迦さまは、スッドーダナ王とマハーマーヤー妃の王子さまでいらっしゃる。それなのにお釈迦さまは、あの二人の息子だと同調された。いったいこれはどういうことなのだろう」

そこにお釈迦さまが通りかかり、答えられました。

「あのバラモンとその妻は、私が五百回生まれ変わってきた間、私の父と母であり、その前に五百回生まれ変わった間は叔父と叔母であり、さらにその前に五百回生まれ変わった間、祖父と祖母だった。

かつて会った記憶のない人でも、その人に会えば心が落ちつき和むなら、そういう人とは進んで親しむがよい」

比丘たちは、誰もが不思議な感動にひたりました。

25 ミッタ比丘の病

出典
『増一阿含経』瞻病経

遠い昔のインドです。お釈迦さまは、竹林精舎で大勢の比丘たちと雨期を過ごしていました。

ある日お釈迦さまが坐禅をしていると、激しい雨の音に混じって微かに人の声が聞こえてきます。耳を澄ますと苦しそうな呻き声でした。お釈迦さまはすぐに立ち上がって声のほうに急ぎました。

竹林精舎のはずれ近くの大きな竹藪の陰の小屋から、呻き声が洩れてきます。お釈迦さまが中に入ると、老いたミッタ比丘が高熱に浮かされ、意識が朦朧として呻いています。あたりは汚物だらけで耐えがたい悪臭です。

ミッタ比丘の肌衣は、汗と脂でべっとりと身体に貼り付いています。お釈迦さまはまずその衣を脱がせ、水をくんできて身体を丁寧に拭きました。額に冷たい布を置いて、部屋の掃除をしました。お釈迦さまが汚れ物を洗濯しようと外に出ると、ブラフマ神（★1）がきまり悪そうに言いました。

「それは私が致します」

「かまわないでよろしい。あなたはミッタ比丘の病気を知っていながら、私が来るまで知らん顔していました」

恥ずかしくて返答できないブラフマ神にかわってインドラ神（★2）も下界におりてきて、ためらいながら言いました。

「それでもそんな仕事は、お釈迦さまにはふさわしくありません」

「そんな仕事と言いますが、これほど大切な仕事はありますまい。あなたにしても、ミッタ比丘の病気を見ないふりをしていました」

身の置きどころもなく俯いて遠巻きにしていた比丘たちの間を縫って、お釈迦さまは洗濯をすませて小屋へ戻りました。ようやく意識を回復したミッタ比丘は、自分を介抱してくれたのがお釈迦さまだとわかって驚き、床から身を起こそうとしました。

「まだそれは無理だよ。もう少し休まなくては」

お釈迦さまはミッタ比丘の背中に腕をまわして、そっと寝かせました。

「ミッタ比丘よ、あなたには病気の時に看病してくれる友はいないのですか」

「はい。私には友がなく、一人でじっと寝ているほかありませんでした」

「そうでしたか。実は私にもあなたの病気を知らせてくれる友はありませんでした。一人ぼっちはお互いさまです」

お釈迦さまは雲の上のお方、お説法の声を聞けるだけで幸せと思っていたミッタ比丘は、重病に苦しむ自分を、赤ん坊を育む母親のように骨身惜しまず看病してくれたことを思うだけで、魂の底からふつふつと熱いものが湧き上がり、気がつくとすっかり元気になっていました。

翌朝、ミッタ比丘が久しぶりに朝日を見上げていると、比丘たちが次々とやってきました。

「近くにいながらお見舞いもせず申し訳なかった」

「いや、そうじゃない。僕はこの歳になるまで人を看病したことがなかった。そのことに初めて気がついた」

一番遠いところで比丘たちの会話を聞いたお釈迦さまは、ひそかに微笑まれたようでした。

（★1）梵天
（★2）帝釈天
どちらもバラモン教の神

㉖ 海を干しても

出典
『仏説大意抒海経』

遠い昔のインドです。若い夫婦に待望の赤ちゃんが生まれ、その赤ちゃんが突然話しました。

「僕は将来、苦しむ人の力になりたい」

両親は驚いて顔を見合わせました。

「ご心配なく。僕はただ貧しい人々や不運に悩む人々を助けたいのです」

両親はこの子に〈大意〉と名づけました。すくすく育って、十七歳になった大意は突然言いました。

「お父さま、お母さま。僕は今から貧しい人々のために働きたいのです」

両親はその時が来たと思いました。

「よろしい。全財産を譲ろう」

「ありがとうございます。でも貧しい人々は無数にいるので、これでも足りないのです。今から宝探しの旅に行かせてください」

最初に寄った港で、彼方に白銀の城を見つけました。その城を太い毒蛇が三重に取り巻いていました。大意は一瞬たじろぎました。

「人が毒にやられるのは蛇を恐れ憎むからに違いない。僕はあの蛇を断じて敵視するまい」

固く決心して進むと、蛇はもたげていた鎌首をゆっくりおろしました。

門番が急ぎ王に伝えると、王は大喜びで大意を迎えました。

「『守門の蛇が頭を垂れる人があれば、最大の歓迎をせよ』という言い伝えがあります。あなたが初めてのお方です」

王は最高のもてなしをしました。大意が出立を告げると王は莫大な宝を贈ろうとしました。

「せっかくですが、お城に伝わる明月珠を頂きたいのです」

王は言いました。

「明月珠は無限の価値があるが、これを持つ者は不運に遭うと言われています。どうかご無事で」

大意は旅を進め、金、水晶、瑠璃の城をめぐりましたが、守門の蛇は六重、九重、十二重と護りを固めていました。大意はひるまず蛇への慈しみを深めていきました。

四つの明月珠を手にした大意が船に乗ると、海神たちが船を激しくゆすり、珠を海に落としてしまいました。すると不気味な海獣たちが大意を脅しました。

「あれは俺たちの物だ。帰れ!」

「なんと言われようと、僕は海の水をかき出してでも珠を探すぞ」

「馬鹿な。海の水がどんなに多いか知らないな」

「知らないのはそっちだ。僕がどれだけの生死を繰り返してきたか。その骨を積み上げたらヒマラヤよりも高いのだ。海の水が多いのは、僕がそれだけの汗と血と涙を流したからだ。その一滴たりとも僕の利益のために流したことはない。この珠は人々を助けるために必要なのだ」

大意が海に飛び込むと大男に変身。大バケツに海水をくんでは、彼方の陸めがけてザッブーンと投げはじめ、みるみる海が干あがります。海神たちは降参して四つの珠を大意に返しました。

海神たちは帆に風を送って大意の帰国を助けました。

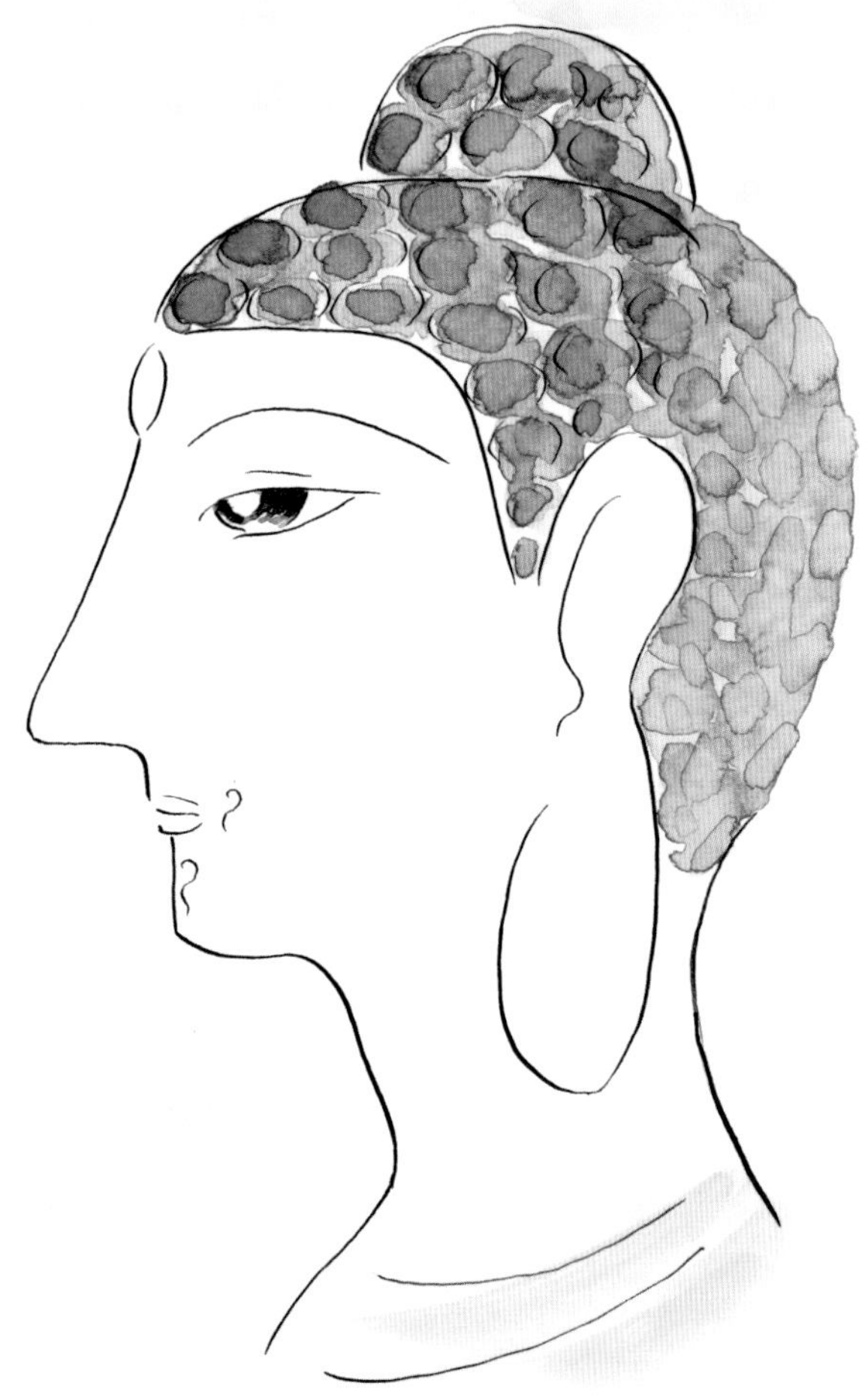

27 ブラフマダッタの布施（ふせ）

出典
『撰集百縁経』巻第四 第三二話
梵与王、婆羅門に穀を施すの縁

遠い昔のインドです。ある時、お弟子たちが集まってお釈迦さまに尋ねました。

「お釈迦さまは、布施の功徳は果てしなく大きいとおっしゃいますが、いったいそれはどういうことですか」

　お釈迦さまは、宇宙の果てまで見通すような眼差しで語り始めました。


　気の遠くなるほど大昔、ブラフマダッタという国王が治める、豊かな国がありました。その国の占いに優れたバラモンが、星の位置から、「まもなく旱がおこり十二年も続く」と言いました。

　王は家臣に、国の人口と穀物の蓄えを調べて最善を尽くすよう命じたところ、一人に一升ずつ分けて、六年分で尽きるという計算になりました。王には特別に二升が分配されました。

　それから六年の月日が経った時、一人のバラモンがやってきて言いました。

「王様、私にはなぜか分配がなかったのです。ひもじくて今にも命の灯が消えそうです。どうかほんの少しで結構です。私にお分けください」

　ブラフマダッタ王は考えました。

〈今ここでは皆がひどく餓えている。私も例外ではない。この身一人の今の苦しみだけでさえ耐えるのは容易ではない。まして将来無限にこのすべての国民が餓えの苦しみに遭い続けることの責任を思うと、とうてい耐えられるものではない。まずせめてこの目の前の一人に自分の半分を分けよう〉


　バラモンが涙と共に受け取ると同時に、天上の帝釈天の宮殿が激しく揺れました。帝釈天は驚いて、いよいよ自分の寿命が尽きる時かと思いつつ地上を見ると、ブラフマダッタ王が自分自身も餓えていながら、さらに餓えたバラモンにわずかの持ち分を分け与えているのが見えました。帝釈天はその光景が信じられなかったので、確かめずには気がすみません。老いて今にも死にそうなバラモンの姿になり、杖をついて王の前に現れました。口をきくことさえもできないバラモンを見た王は、一瞬のうちに心を決めました。

「私のこの身は、布施をしてもしなくても必ずまもなく終わる。同じことなら布施をして死を迎えよう。後悔が残らず、安堵がある」

　王はわずかに持っていた食料をすべてこのバラモンに与えました。帝釈天はあまりのことに驚いて、たちまち元の姿になり王に問いました。

「そんなにしてまで布施をするのは、梵天・帝釈天にでもなりたいのか」

「違います。私の願いは未来世に悟りに到り、すべての命あるものを救うことです」

　王の決然とした叫びに、帝釈天は感動に打ち震えて言いました。

「素晴らしい。今から七日間雨を降らせよう。農民に種をまくよう、ふれを出しなさい」

　翌日国内には、ひもじさに打ち勝って種まきをする農民の姿があふれました。

「ブラフマダッタこそ、私の昔の姿です」

　お釈迦さまは静かにおっしゃいました。

28 怨(うら)みを超えて

出典
『六度集経』巻第一 第一〇話
長寿王の本生

遠い昔のインドです。平和な国がありました。長寿大王は民を大切にしていました。

隣の国の小王は横暴で、人々は貧しく国土は荒れていました。そこで小王は、長寿王の国を手に入れようと兵をあげました。

大王は、迎え撃とうとする民たちに言いました。

「私一人のために、多くの民が死ぬことは断じて許さぬ」

それを聞いた大臣は、涙ながらに言いました。

「慈しみ深い大王なればこそ、命にかえて守りたい民の気持ちをおくみください」

大王は黙って奥に引きこもりました。

「勝とうと負けようと、戦はお互いの多くの民の命を絶つ。国の行方は大臣に委ね、私はどこかへ身を隠そう」

息子の王子も「私もお供をいたします」と迷わず決心して、二人はヒマラヤの奥深くへと消えました。

やがて大王は年老いて、この世の去り際に遺言しました。

〈怨みを捨てよ。怨みこそ汝の滅びの因と知れ〉

王子は遺言を胸深く刻んで山を下りました。そして、戦に負け変わり果てた故郷を見て、身を切られる思いがしました。何とかして国民に元の平安を取り戻そうと町中を歩きました。すると、お城の菜園で働き手の募集があり、そこで一心不乱に働きました。やがて王子はその人柄と武芸の腕を買われ、小王の側近に抜擢されました。

「前の王は意気地なしよ。戦もせず姿を消して、今頃はもうあの世だろう。だが、その王子が必ず仇討ちに来る。そなたの腕は実に頼もしい」

あるとき小王は鹿狩りに熱中し、森の奥深くに迷い込み、王子と二人だけになりました。

「のろまな家来どもめ、今頃は慌てふためいて余を探しておるだろう」

王子を信頼しきっている小王は、刀をおき王子の膝枕でたちまち眠りに落ちました。

「今こそ父上の仇を」

力をこめて喉元に刃を向けたその瞬間、

〈怨みを捨てよ。怨みこそ汝の滅びの因と知れ〉

亡き父の厳かな声が響いて、王子は金縛りになり、刀を落とし唇をかんでいました。

小王は気づいて王子を見据えました。

「王様、私こそ前王の息子、お命を狙う謀反人。さあ存分にご成敗を」

「眠る余を討つのは簡単なこと。なぜ志を遂げなかった？」

「仰せのとおりです。ところが父の遺言が梵鐘のように響きました。父が勝てる戦をせずに身を隠した本意がわからず、ただ国を取り戻すことばかり考えてきました。いま仇討ちに失敗して、自分の命が尽きることを思った時、父の目指した心の世界が見えました。私は討たれようとも、決してあなたを怨みません」

小王は目を閉じて静かに思いをめぐらせました。

やがて二人は城に向かって馬を進め、小王は王子を先にたてました。

宵の明星が二人を照らしていました。

29 毒蛇のお布施

出典
『賢愚経』巻第三 第一八話
七瓶の金を施すの品

遠い昔のインドです。バラナという国に、貧しいけれど大変な働き者の青年がいました。わずかの時間も惜しんでよく働き、お給料を手にするとほとんどを金に換えました。少しのお給料ですから買える金はわずかでした。けれども青年は、少しずつでも金が増えていくことが嬉しくてたまりませんでした。わずかの食事で飢えをしのぎ、擦り切れた服で暮らしました。

そうしてついに金が甕いっぱいになりました。青年はあばら家の床下に穴を掘り、それを埋めました。こんなあばら家の床下に金のいっぱい詰まった甕があると思うと、青年はますます元気が湧いてきて、短い間に二つ目の甕がいっぱいになりました。

一心不乱に働いて甕が七つになった時、青年はすっかり年寄りになっていることに初めて気がつきました。ヘナヘナと倒れこむと、そのまま息絶えてしまいました。

けれどもこの青年は、生涯かけて蓄えた金を忘れることができず、毒蛇に生まれ変わって甕を守り続けました。毒蛇の寿命が尽きるとまた毒蛇に生まれ変わり、何回かわからなくなるほどこれを繰り返しました。

ある時毒蛇は、自分が数えきれないほど生まれ変わっても、いつも毒蛇であることに気づきました。また、これほどの金を蓄えても、それが何の役にも立っていないことにも初めて気がつきました。

毒蛇は、朽ち果てたあばら家の草むらから抜け出して、街の人々の様子を物陰から伺いました。

ある日、お坊さんたちの行列が大きな屋敷の中に入っていきました。その屋敷の主人が、大勢のお坊さんたちに食事の接待をしていました。

食事がすむと、お坊さんの一人が静かにお話をしました。屋敷の中の人々は、みな心が満ち足りてお坊さんたちにお礼の合掌を捧げました。

毒蛇は初めて深い感動を覚えました。

翌日毒蛇は、街に続く道端の草むらに身を隠しました。やがて通りかかった男を呼びとめました。人の声はしても誰もいないので、男は不思議に思ってあたりを探すと、そこに大きな毒蛇がとぐろを巻いていました。

「私を呼んで殺そうとするのか」

「そのつもりならとっくに殺している。実は頼みがある。お坊さんたちを食事に招待したい」

毒蛇はその男に、お金のありかを告げ、接待の日が決まったら、その日には毒蛇が入れる大きさの竹籠を用意してきてほしいと頼みました。

当日、男は大きな竹籠をもってくると、毒蛇は自分でその中に入り、男は上から布をかけて人々の目に触れないようにしました。広場で催されたお坊さんへの接待は、これまでにないような見事なものでした。お坊さんはいつものように心安らぐお話をしました。毒蛇は七つの甕が空になるまで接待を続けました。

毒蛇はついに毒蛇の身を捨てて、天へ生まれ変わりました。

30 青年スメーダ

出典
『ニダーナカター』巻上
遠き因縁物語

遠い昔のインドです。アマラバティという都のある裕福な家に、スメーダという少年がいました。スメーダの両親は、彼が幼い時に相次いで亡くなったため、スメーダが青年に達した時に莫大な財産を継ぐことになりました。

―父上も母上もそれにおじいさまも、これだけの宝があっても老病死をまぬがれなかった。私はこの宝を死蔵させはしない。生きて働いてこその宝だ。私も生まれ老い病み死ぬ身であるが、これまでの学びによると、老い死ぬことのない涅槃という世界があるそうだ。私はそれを目指すのだ―

スメーダは都中に触れを出し、必要とする人々にすべて布施をしつくして修行に出ました。物欲や名誉欲を離れて、ヒマラヤの中のダンマカという山に草庵を結び、ひたすら修行に励みました。そのころ、ディーパンカラ仏が人の世にお出ましになり、間もなくこの国で説法されることになりました。

スメーダは山にこもって一人で瞑想の楽しみにふけっていたので、このことを知るのが人々より遅れました。急いで山を下りると、街の人々が総出でディーパンカラ仏をお迎えする準備をしていました。街路は塵一つ無いほど掃き清められ、色鮮やかな旗や幟が立てられ、良い香りの美しい花々が、いたるところに飾られていました。

スメーダは役人に自分は何をすべきかを尋ねました。昨日の大雨で道が崩れた所があり、そこを至急に修復するように命ぜられました。そこは意外にも広範囲で崩れがひどい状態でした。人手はよそに取られてスメーダ一人で当たらねばなりません。石を運び、土を運び、休みなく道づくりに精を出しました。

どうにか間に合って、間もなくディーパンカラ仏がお通りになるその瞬間、道の一部が陥没してしまいました。驚いたスメーダはとっさに豊かな長い髪を解き、陥没の上に俯せになると身体と髪とで覆いました。

「どうか私の上をお通りください。おみ足を汚されませんように」

ディーパンカラ仏はスメーダの足元から次第に胴体、背中と歩みを進めました。仏の足の裏からビンビンと伝わるものを感じながら、スメーダは思いました。

―私はただ一人で老病死の苦を脱しようとしていた。けれどもこれからは、ディーパンカラ仏のように全ての人々を涅槃の世界へ渡して、そのあと人々と共に完全な悟りを得ることにしよう―

そのとき、

「このスメーダ青年は、遠い未来にゴータマ・ブッダとしてこの世に誕生、すべての生きとし生けるものを救うであろう」

ディーパンカラ仏の大音声が響きました。

物語に登場する お釈迦（しゃか）さまの前生（ぜんしょう）

※前生の物語のみ表記しています。

番号	物語	前生の姿
1	赤魚になった王様	パドマカ王（赤魚）
2	サルの知恵	王様のお客の賢者
3	大きなシカ	大きなシカ
4	キンスカの木	ブラフマダッタ王
5	闇の中	村長
6	雪山童子	雪山童子
9	欲ばりジャッカル	ジャッカル
12	親思いのサーマ	サーマ
13	信頼	洞窟の傍らの一本の木
14	嫉妬	仙人
15	金の羽	白鳥

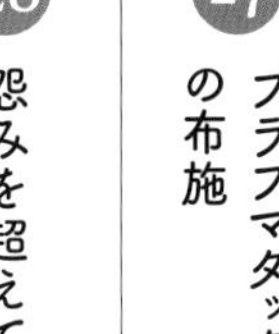
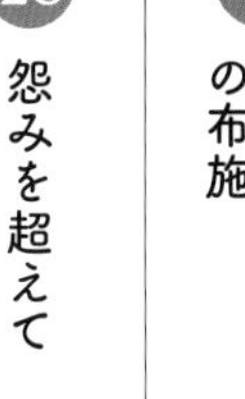
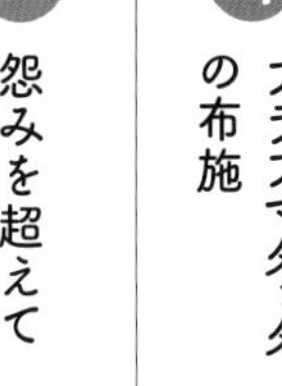

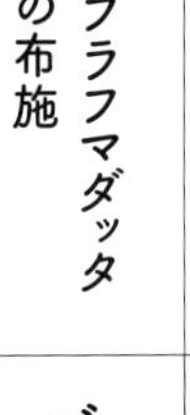
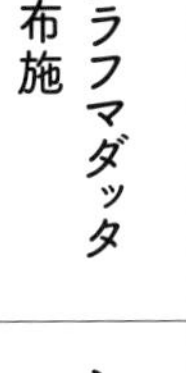

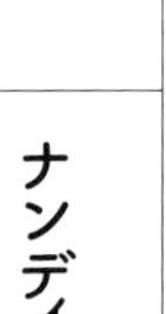

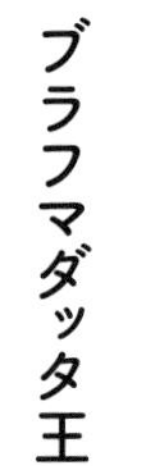

番号	物語	前生の姿
16	やさしいナンディヤ	ナンディヤ
17	白象の徳	白象
18	葦のストロー	猿のリーダー
20	おしゃべりなカメ	大臣
21	見えない敵	お百姓さん
22	五武器王子	王子
26	海を干しても	大意
27	ブラフマダッタの布施	ブラフマダッタ王
28	怨みを超えて	長寿王
29	毒蛇のお布施	通りかかった男
30	青年スメーダ	スメーダ

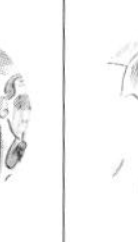
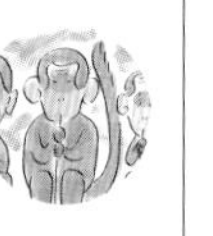
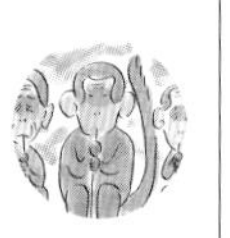

あとがき

渡邊愛子

このたび『仏典の星ぼし』の出版に恵まれ、感謝の憶いが沸々と沸き上がります。

思い返せば、何も知らない学生の私に、東本願寺からジャータカ物語の連載を依頼いただいてから半世紀が経ちました。今回あらためて『同朋新聞』に連載のお話を頂戴しましたが、はたしてお応えできるのか自信がありませんでした。

ところが、これまでの長い間幾度もふれてきた経典の物語の中で、作品にはしにくいと思ってきたいくつかのエピソードが急に光を放っているように感じられました。なぜかと不思議に思いつつ何度も繰り返し読み返したことです。

すると、第10話「縁ありてこそ」では、親鸞聖人のお言葉「遠く宿縁を慶べ」（『教行信証』総序）に思いあたり、また別のエピソード（第24話「世々生々の父母兄弟」）では、同じく聖人のお言葉「すべての生きとし生けるものは、父母であり兄弟である」（『歎異抄』第五章意訳）が自然に浮かんできたのでした。

中でも最も目を覚まされたのは、コロナのパンデミックという現実に直面する中、出会い直した第23話「疫病のくすり」です。それまで読んでいながら実感が伴わず、遠いインドの大昔の出来事として看過してきました。しかし、実際に患者数・犠牲者数が日々報道され、不自由な状況に身を置くことになり、釈尊時代の疫病の状況が今日の私たちに直結していることに気づかされたのです。ここには親鸞聖人や蓮如上人がおられた当時に起こった疫病を心配しつつ、人間の死生観を問う内容のお手紙に相通じる教えが説かれていました。その源泉がお釈迦さまに関するお経（『撰集百縁経』・仏、疫病を救済し給ふの縁）の中にあったのです。コロナに右往左往している私たちに、疫病があろうとなかろうと、生まれた以上は必ず死ぬという悲しくも避けられない事実を冷静に受け止めて、心穏やかに暮らすよう戒めてくれていました。

これら一連のことは、実は私自身の長年の問いに関係していました。私自身は親鸞聖人のお念仏に支えられる身でありながら、これまでジャータカ、仏典童話をとおして関わってきたお釈迦さまの世界と、親鸞聖人の教えがぴったり重ならないように感じられていました。つまり〈お釈迦さまから親鸞聖人へ〉の繋がりがはっきりしていなかったのです。それが、このたびの仏典との出会いを通して、お釈迦さま、親鸞聖人、そして私たちまでが、太い一本の線で結ばれたように思います。不思議なご縁にただただ感謝です。

目を外に転じますと、ロシアとウクライナ間で戦闘が一年半以上続き、いまだに終息の目処がつきません。両国ではすでに多くの戦死者を出しています。先の戦争のために父の顔を知らない私は、生まれた娘に会えずに逝った父の胸中を思います。勝っても負けても戦死者とその遺族の苦悩は消えません。真宗大谷派は早くに「不戦の誓い」を宣言し、「兵戈無用」「殺してはならない。殺さしめてはならない」を訴え続けてきました。今特にその必要性を強く感じる時にあたり、防衛強化という目の前の問題だけに翻弄され、奥底にある全人類の平和への願いに思いを致すことがなおざりになっているように思います。

そういう時代に最も必要なことは仏の眼差しだと思います。『仏典の星ぼし』がその一番大切な視点を養う一助になればこれに勝る喜びはありません。

最後に、『仏典の星ぼし』は、仏教漫画家・臂美恵さんの、文章に表せない深みに至る優しい筆致に大いに助けられています。仏教漫画というジャンルが今後大いなる働きをされることを強く願っています。

2023年　真宗本廟報恩講を前に

●文
渡邊愛子［わたなべ・あいこ］

仏典童話作家。元京都光華女子大学非常勤講師。1946年生まれ。新宿高校（定時制）卒業後、大谷大学および同大学院博士課程で原始仏教を学ぶ。真宗大谷派寶樹寺（岩手県）門徒。Servas International 会員。
著書『ジャータカ物語』『仏典童話』（東本願寺出版）、『仏教説話大系』共著（鈴木出版）、『原始仏典』翻訳・共著（講談社）ほか。

●絵
臂 美恵［ひじ・みえ］

仏教漫画家。公益社団法人日本漫画家協会会員。1954年生まれ。京都精華短期大学美術科マンガクラス卒業。漫画家佐川美代太郎氏に師事。佛教大学佛教学科、同国文学科卒業。浄土真宗本願寺派西圓寺（広島県）門徒。
著書『今が一番しあわせ—お念仏になった先生—』・『絵のこころ仏のこころ』（本願寺出版社）ほか。

本書は、東本願寺が発行する『同朋新聞』（2019年11月号〜2022年3月号）に連載された「仏典の星ぼし」を基に書籍化したものです。

仏典の星ぼし

2023（令和5）年11月28日　第1刷　発行

著者　文・渡邊愛子
　　　絵・臂　美恵
発行者　木越　渉
発行所　東本願寺出版（真宗大谷派宗務所出版部）
〒600-8505京都市下京区烏丸通七条上る
TEL 075-371-9189（販売）
　　075-371-5099（編集）
FAX 075-371-9211
印刷・製本　シナノ書籍印刷株式会社
装訂　大西未生・中山野恵（株式会社ザイン）

ISBN978-4-8341-0681-7　C0715